# Le Mange-doudous

ISBN 978-2-211-22169-6
Première édition dans la collection *lutin poche* : avril 2015
© 2013, l'école des loisirs, Paris
Loi numéro 49 956 du 16 juillet 1949 sur les publications
destinées à la jeunesse : 2013
Dépôt légal : février 2020
Imprimé en France par GCI à Chambray-lès-Tours

# Julien Béziat

# Le Mange-doudous

Pastel
les lutins de l'école des loisirs
11, rue de Sèvres, Paris 6e

L'autre jour, un truc terrible est arrivé à mes doudous.

Ça s'est passé quand j'étais à l'école.
C'est Berk mon canard qui me l'a raconté.

D'abord, une chose bizarre est entrée dans ma chambre.
Personne n'y a fait attention ; ça ressemblait à une patate molle.
Elle s'est glissée à côté de Lapinot, et puis…

# GLOUP !

## Elle l'a avalé !

Et en même temps, la chose a pris la forme de Lapinot.
Les doudous l'ont observée et ils ont compris :
c'était un Mange-doudous !

À partir de ce moment-là, ça a été l'affolement général.
Mes doudous se sont enfuis à l'autre bout de la chambre.

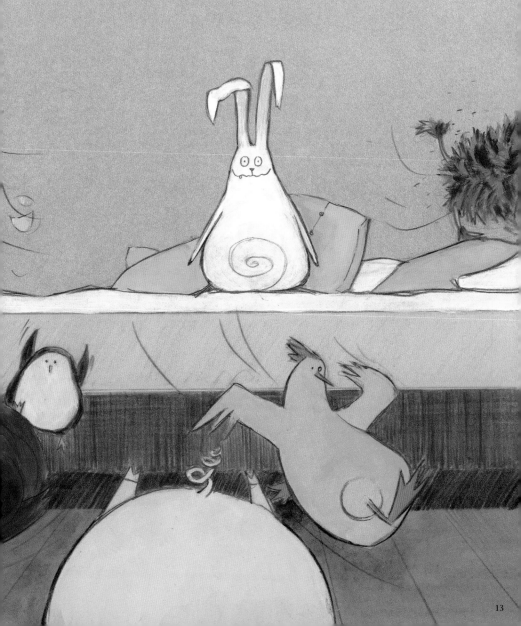

Ils se sont tous super bien cachés.

Mais le Mange-doudous
a trouvé Poulette.

Et il n'a fait qu'une bouchée
de Cochonnet.

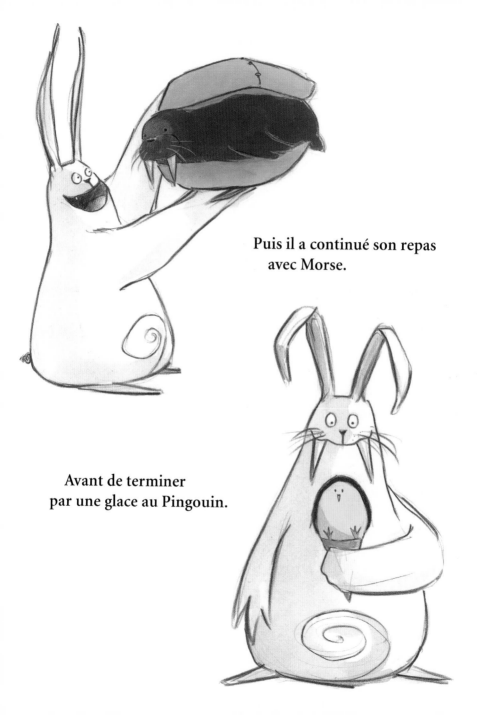

Puis il a continué son repas
avec Morse.

Avant de terminer
par une glace au Pingouin.

Le ventre plein, il s'est endormi, sous l'œil inquiet
des doudous terrés dans la bibliothèque.

«Il ne faut pas attendre qu'il se réveille,
sautons-lui dessus maintenant», a chuchoté Léon-le-lion.
«Je viens aussi», a murmuré Berk. Mais Léon
a répondu sèchement : «Toi le chouchou, tu restes là !
Tu n'es qu'un vieux mouchoir sale, tu vas nous gêner.»

Et ils sont sortis d'un coup…

# YAAAH !

Le problème, c'est que Léon a marché sur la trompe
de Dodo-l'éléphant, qui a trébuché sur Titigre, qui a fait
tomber Requinquin, qui a bousculé Thor-le-taureau,
qui a donné un coup de corne à Superdoudousuperhéros…

Bref, ça a réveillé le Mange-doudous qui les a avalés
les uns après les autres.

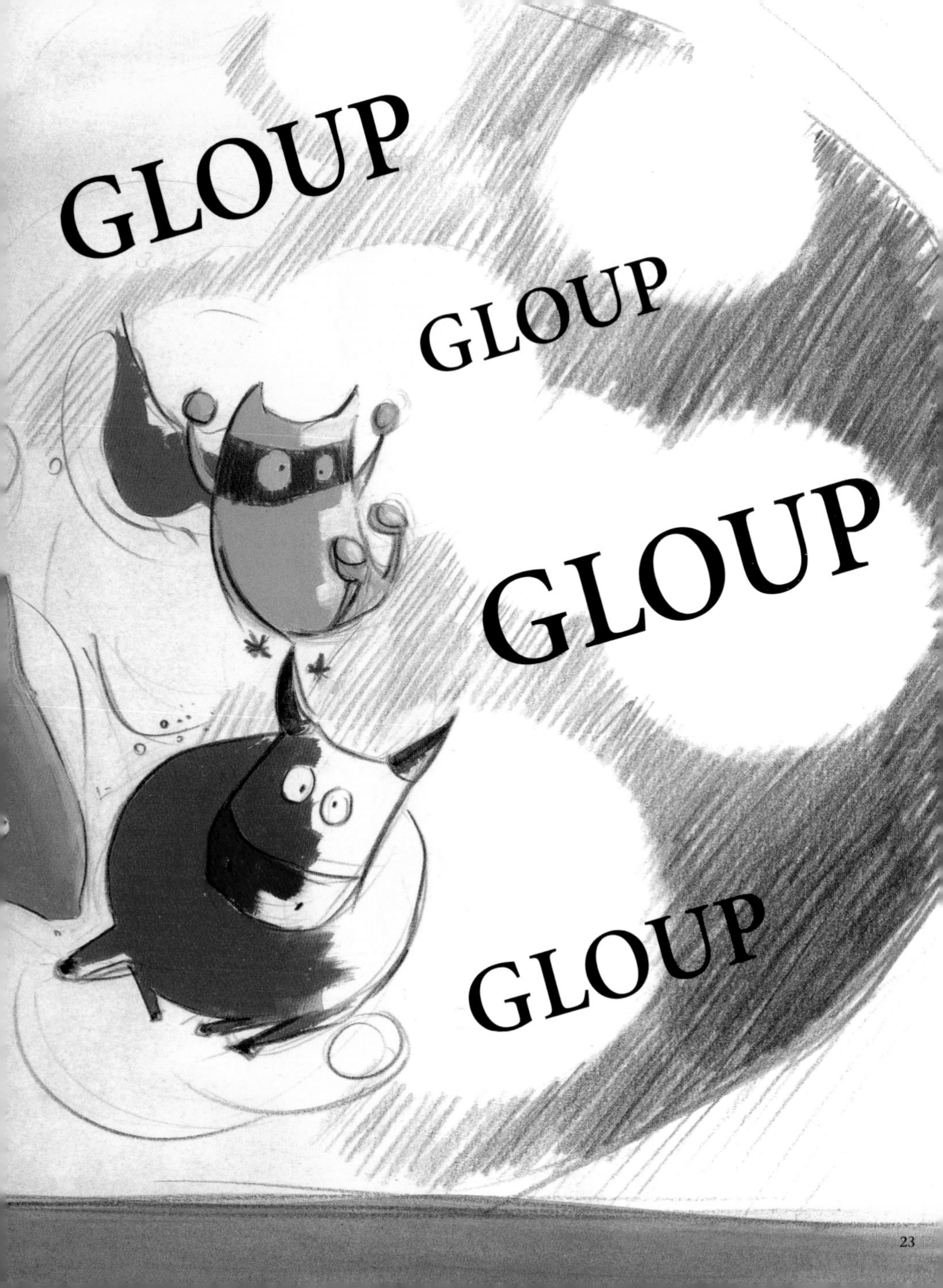
GLOUP
GLOUP
GLOUP
GLOUP

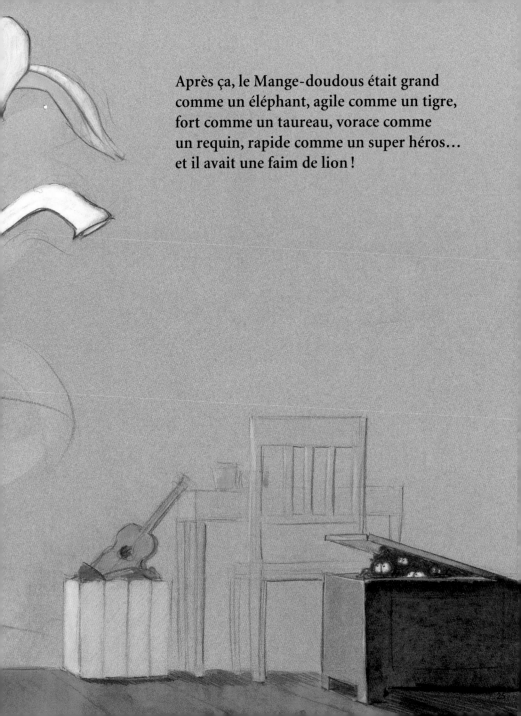

Après ça, le Mange-doudous était grand
comme un éléphant, agile comme un tigre,
fort comme un taureau, vorace comme
un requin, rapide comme un super héros…
et il avait une faim de lion !

Il s'est alors avancé vers le coffre
à jouets, le seul endroit qu'il n'avait
pas encore fouillé.

À l'intérieur,
il y avait tous les autres doudous.

«MIAM !» a dit le Mange-doudous
en ouvrant grand la bouche…

Et soudain Berk s'est jeté
dans la gueule du monstre !

Ça lui a fait tout drôle,
au Mange-doudous.

Je crois qu'il n'a pas aimé Berk.
C'est bizarre, parce que c'est celui que je préfère.

Il me console quand je suis
triste, essuie mes larmes
et mon nez qui coule.

Quand je suis malade, je le serre fort contre moi,
et quand je m'endors, je suçote un coin de son bonnet.
Je ne m'en sépare jamais, mes parents ne peuvent
même pas le laver…

J'aime bien son odeur
de vieille bave.

GLOUPFF

Après être sortis du Mange-doudous, mes doudous
étaient vraiment dégoûtants ; mais ils étaient
tellement heureux qu'ils ont décidé de rester tout sales…
Comme ça, aucun risque d'être avalés de nouveau !

Bien sûr, Papa et Maman n'ont pas été d'accord,
et ils sont tous passés à la machine.

Enfin, presque tous…